브로커

스토리보드

|글/그림| 고레에다 히로카즈

차례

일러두기

이 스토리보드는 고레에다 히로카즈 감독이 직접 쓰고 그린 원본에 한글 번역을 더한 것으로,
완성된 영화와는 일부 다른 내용이 있을 수 있습니다.

일부 미세한 잉크 묻음, 지우고 흐릿하게 남은 열은 밑그림 선, 수정 테이프 사용 흔적 등은
원본 작업물 아카이브 차원에서 그대로 살렸습니다.

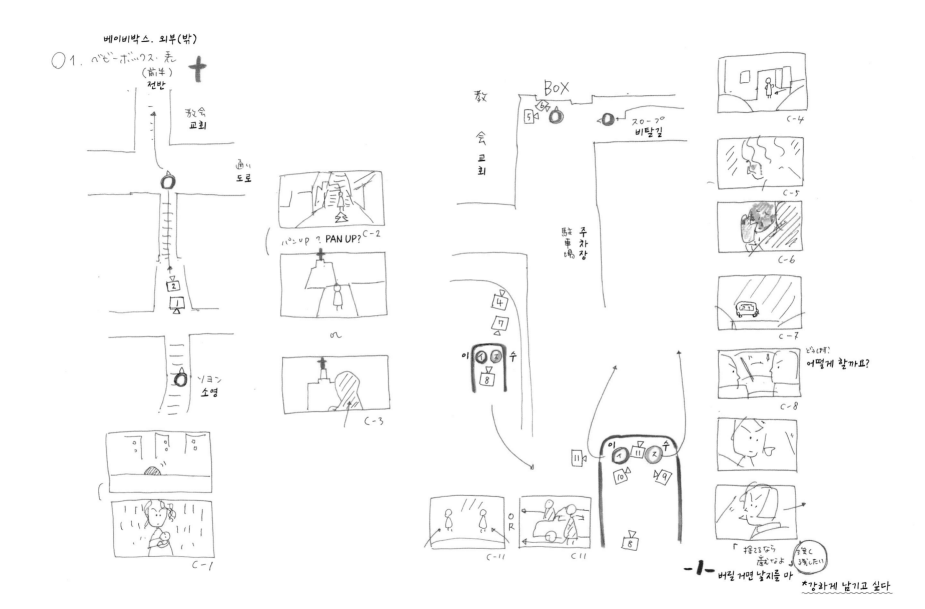

베이비박스 / 밖

○ 1. ベビーボックス・表
　　　(後半) 후반

BOX

비탈길
スロープ

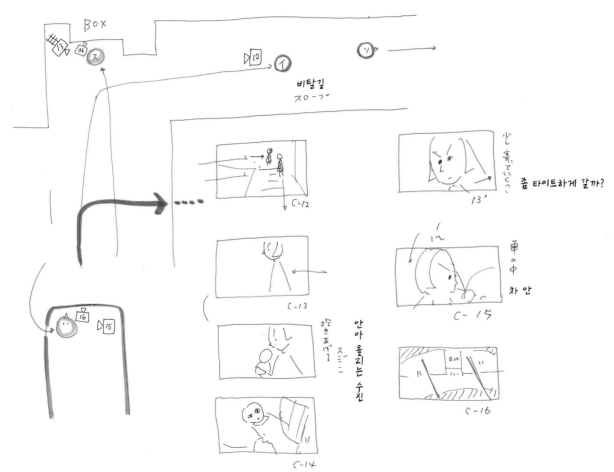

C-12

13′

좀 타이트하게 갈까?

C-13

C-15 車の中 차 안

안아 올리는 수진

C-14

C-16

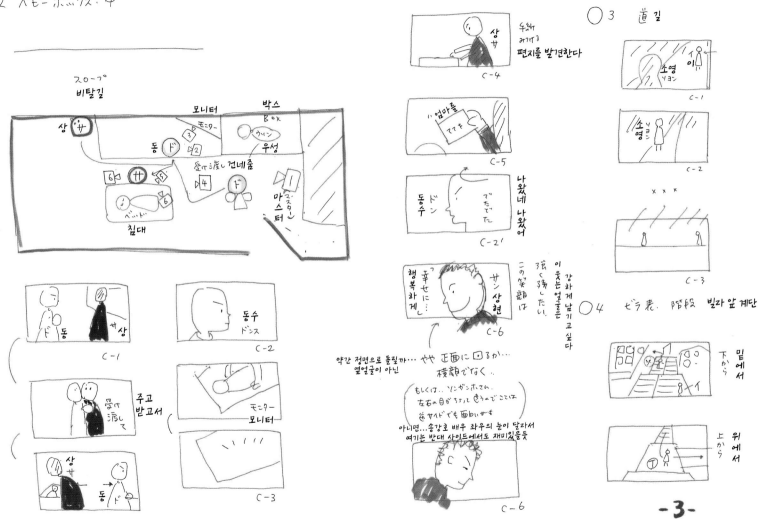

-3-

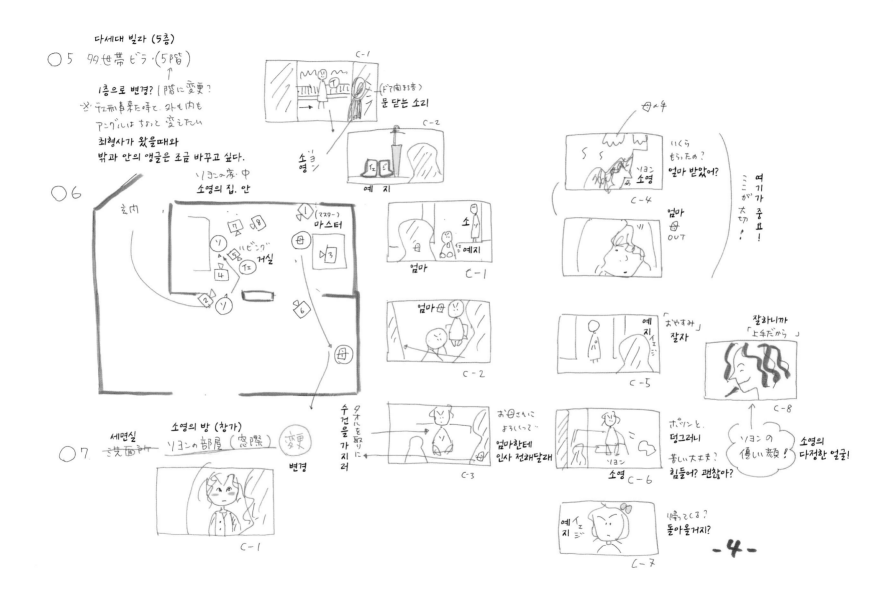

다세대 빌라 (5층)

○5 多世帯ビラ (5階)

1층으로 변경? 1階に変更?
※ テュ刑事来を待て、外も内も
アングルは ちょっと 変えたい
최형사가 왔을때와
밖과 안의 앵글은 조금 바꾸고 싶다.

リヨンの家 中
소영의 집. 안

○6

세면실
○7 洗面所 소영의 방 (창가)
リヨンの部屋 (窓際) 変更
변경

C-1

C-1 소영 / 예지 문 닫는 소리
C-2 예지

C-1 엄마 소 / 예지
C-2 엄마 엄마

C-3 お母さんに よろしくって
엄마한테 인사 전해달래

母さ4 いくら もらったの? 얼마 받았어?
C-4 소영 ここが 大切 여기가 중요! 엄마 OUT

C-5 예지 「おやすみ」 잘자 잘자

C-6 ポツンと. デングリ 苦しい大丈夫 リヨン 소영 힘들어? 괜찮아?

C-8 잘하니까 「上手だから」 リヨンの優しい顔! 소영의 다정한 얼굴!

C-7 예지 1億って C8? 돌아올거지?

-4-

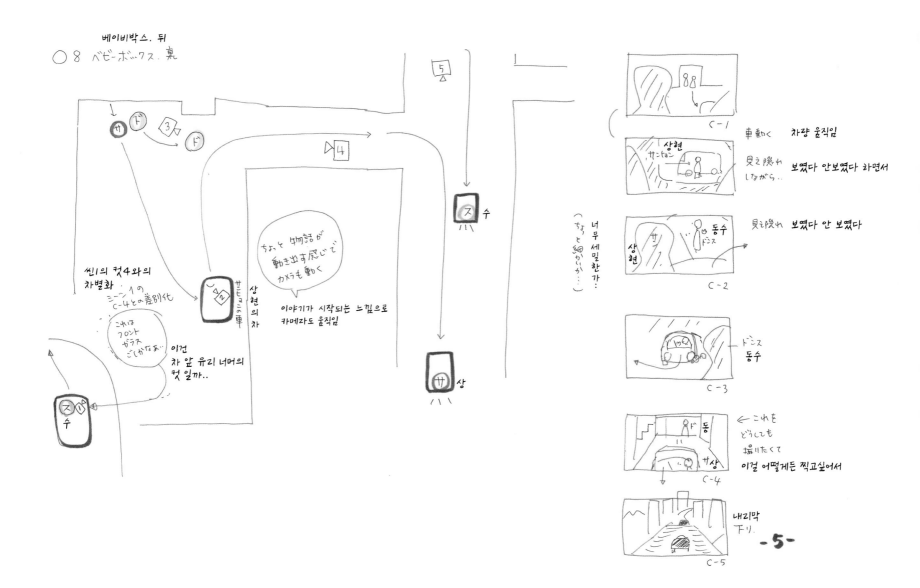

*이미지적으로는 객관적으로 따라 간다기보다는 2대의 차 안에서 두 사람이 (상현과 수진)이 핸들을 잡는다. 멈춘다. 와 같이 같은 동작을 반복하는 단편(장면)들을 더해 가는 것과 같은

(후반. 둘 다 똑같이 "브로커"다 라고 수진이 깨닫기때문에.. 그 느낌으로서) 누구차가 누구차인지 일부러 모르게 해볼까 합니다.

신호에 멈추고 우성이 신경쓰이는 상현

길 (장소 미정)

○ 9 道 (場所 未定)

※ イメージとしては 客観の走り。というよりは。
2台の車の中で。2人(サントヨンとスジン)が
ハンドルを 握る。止まる。というように
同じ動作を 繰り返す。断片を
重ねていく というような ——。
(後半。ふたりが 同じように "ブローカー" だと
スジンが 気付くので... Xの プリとして。)
どっちの 車が どっちか。わざと わからない
ようにしてみようかと 思ってます

追加
추가

サントヨンの車

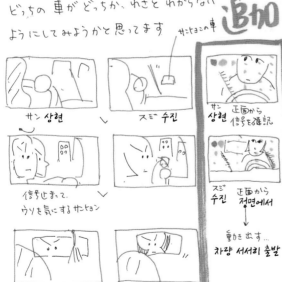

サン 상현 — スジ 수진
サン 상현 正面から 信号を確認
信号止まって。ウソを気にするサントヨン
スジ 수진 正面から 정면에서
動き出す...
차량 서서히 출발

電柱 전신주
정면에서 신호확인

—— 車の外からのカット
차량 밖에서의 cut

세탁소. 밖
○ 10. クリーニング店. 表

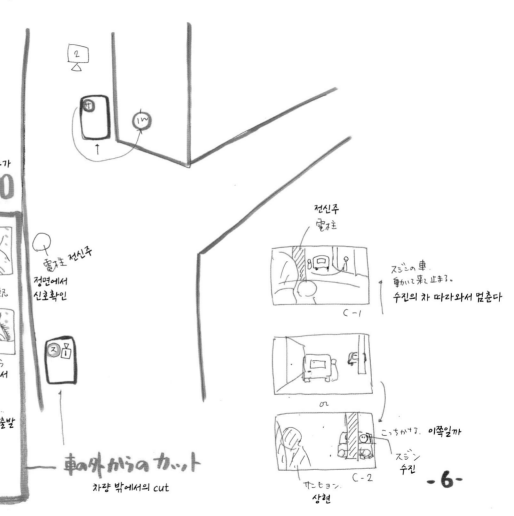

전신주 電柱

スジンの車。動かして来て止まる。
수진의 차 따라와서 멈춘다
C-1

こっちかな。이쪽일까
スジン 수진
C-2
サントヨン。상현

전철　부산 2호선

○11. 電車 (무궁線末定) クチン2号線

소영

창문걸고
ガラスごし

ご걸고

シヨン내리는

소영 내린다

進行方向 진행방향

변경
變更

홈(사상역)
○ ホーム(沙上駅)

ホーム C-3

○12. バスターミナル
버스 터미널. 내부

バ버ス스　バ버ス스　バ버ス스

이 ①　매대 ②

소 ⓥ

売り場

④ T

단체여행객 団体さん

○13. 同. トイレ 동. 화장실

화장실 トイレ C-1

C-2

胸元のボタン留める
가슴팍 단추를 잠근다 C-3

流される 白い乳
내려가는 하얀 모유 C-4

バスを感じたい
버스 느낌을
내고 싶다
C-1

団体さん回る
단체여행객이
지나 친다.
C-4

時刻表 시간

ソヨンいない
소영이 없다
C-4

C-2

しまった
망했다
イ刑事
이 형사
C-4

C-3

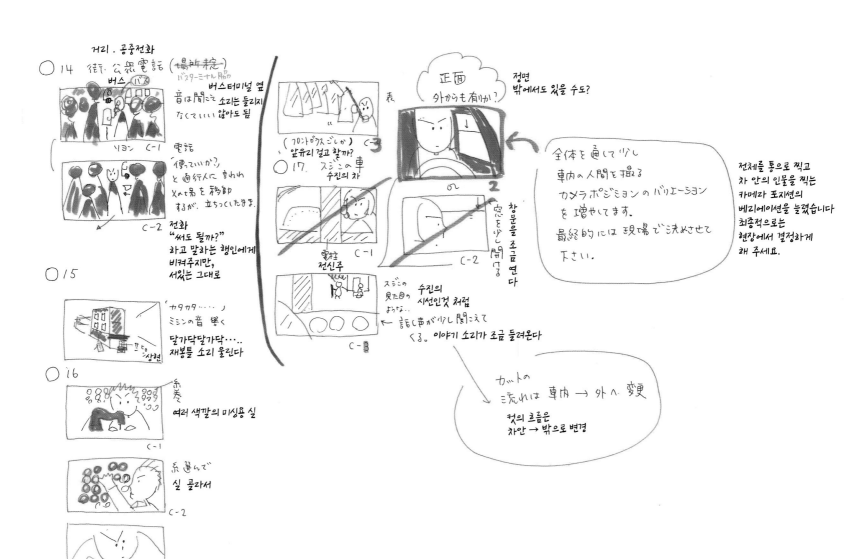

거리 . 공중전화

○ 14　街. 公衆電話（場所未定）
　　　　　　　　バスターミナル脇
　버스

버스터미널 옆
音は聞こえ 소리는 들리지
なくていい 않아도 됨

リヨン C-1

電話
「使っていいか?」
と 通行人に 言われ
×ペに 場を 移動
するが, 立ちっぱなま.

전화
"써도 될까?"
하고 말하는 행인에게
비켜주지만,
서있는 그대로

C-2

○ 15

「カタカタ……」
ミシンの音 響く

달가닥달가닥…..
재봉틀 소리 울린다

編物 상현

○ 16

糸巻

여러 색깔의 미싱용 실

C-1

糸 選んで
실 골라서

C-2

C-3

(フロントガラスごしか)
앞유리 걸고 할까?

C-3

表

正面
外からも 有りか?

정면
밖에서도 있을 수도?

○ 17　スジンの車
　　　　수진의 차

電柱
전신주

C-1

窓を少し開ける
창문을 조금 연다

C-2

スジンの
見た目の
ような

수진의
시선인것 처럼

話し声が少し聞こえて
くる. 이야기 소리가 조금 들려온다

C-3

全体を通して少し
車内の人間を撮る
カメラポジションの バリエーション
を増やしてます.
最終的には 現場で 決めさせて
下さい.

전체를 통으로 찍고
차 안의 인물을 찍는
카메라 포지션의
베리에이션을 늘렸습니다
최종적으로는
현장에서 결정하게
해 주세요.

カットの
流れは 車内 → 外へ 変更

컷의 흐름은
차안 → 밖으로 변경

- 8 -

베이비 박스. 응접실
18 ベビーボックス. 応接室

베이비 박스. 육아실
19 同. 育児室

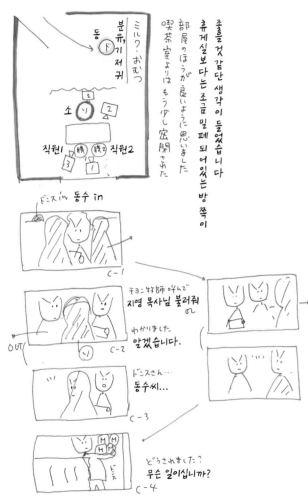

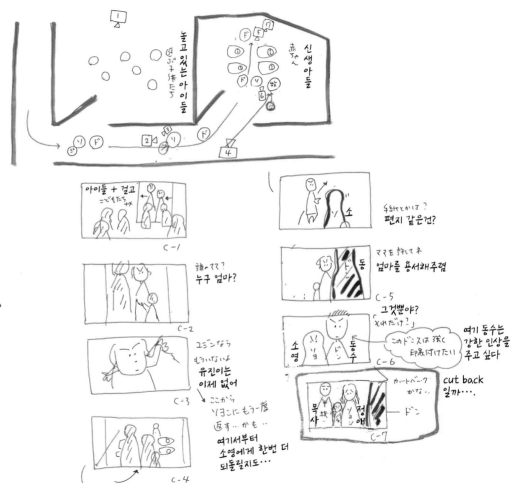

-9-

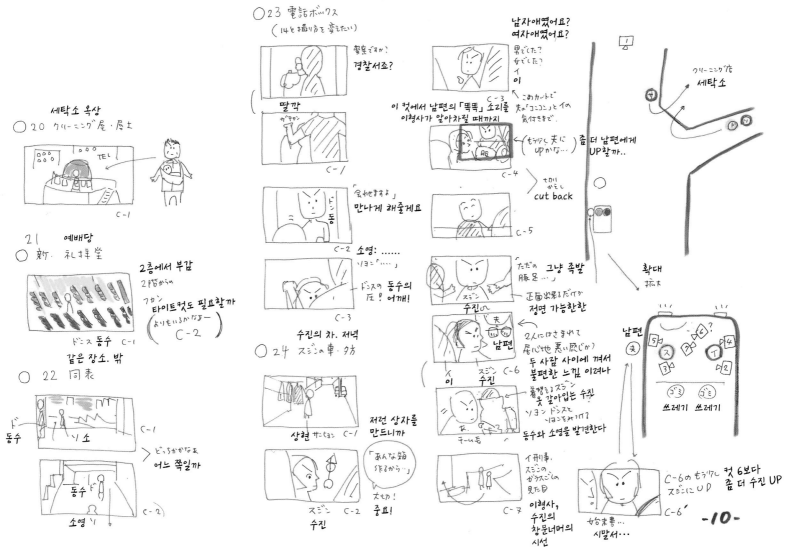

세탁소, 내부
○25 クリーニング店・中

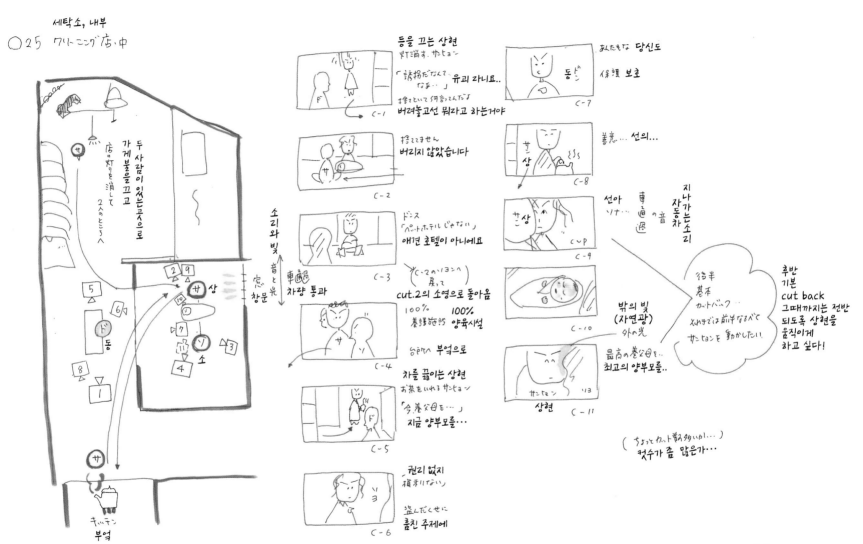

소리와 빛
音と光
窓と光
창문

車両通過
차량 통과

두 사람이 있는 곳으로
가게 불을 끄고
店の灯りを消して
2人のところへ

ド
동

サ
상

サ
상

キッチン
부엌

등을 끄는 상현
灯消す. サンヒョン
「誘拐だなんて なぁ…」
유괴 라니요..
拾っといて何言ってんだ
버려놓고선 뭐라고 하는거야
C-1

拾ってません
버리지 않았습니다
C-2

ボス
「ペットホテルじゃない」
애견 호텔이 아니에요
C-3

(C-2のトヨンへ戻って)
cut.2의 소영으로 돌아옴
100% 養護施設
100% 양육시설
台所へ 부엌으로
C-4

차를 끓이는 상현
お茶をいれるサンヒョン
「今養父母を…」
지금 양부모를…
C-5

権利ない
권리 없지
盗んだくせに
훔친 주제에
C-6

あんたもな 당신도
保護 보호
동
C-7

善意… 선의…
サ 상
C-8

선아
ソナ
車道通過
サ 상
지나가는 자동차 소리
C-9

C-10

밖의 빛
(자연광)
外の光
最高の養父母を
최고의 양부모를..
サンヒョン
상현
C-11

後半
基本
カットバック
それまでは前半なるべく
サンヒョンを動かしたい

후반
기본
cut back
그때까지는 전반
되도록 상현을
움직이게
하고 싶다!

(ちょっとカット数多いか…)
컷수가 좀 많은가…

-11-

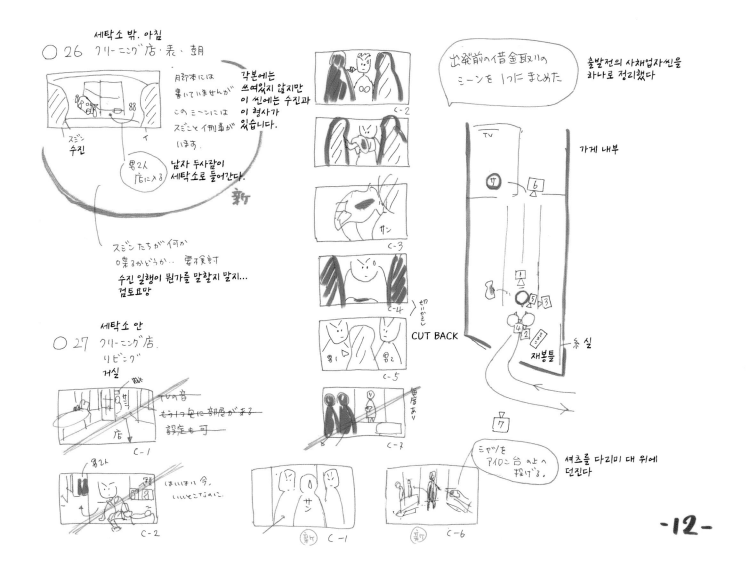

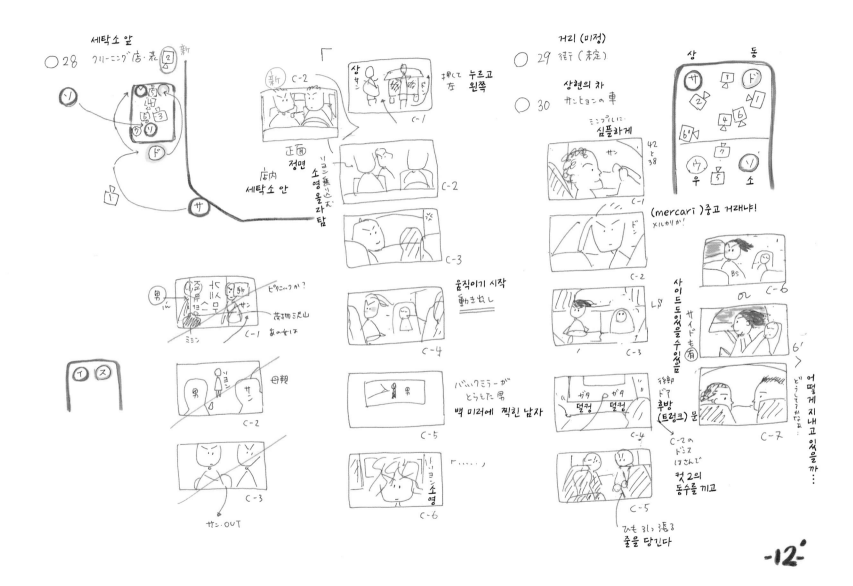

세탁소 앞
○ 28 クリーニング店・表 ②新

거리 (미정)
○ 29 街 (未定)

상현의 차
○ 30 サンヒョンの車

상 동

押して 누르고
左 왼쪽

C-2 新
正面
정면

店内
세탁소 안
소영 올라탐
リョン乗り込む

ミニプレに
심플하게
42 と 38

(mercari) 중고 거래냐!
メルカリか!

C-1
C-2

C-1
C-2
C-3

ピクニックか？
落物 ぶた山
あの女は
ミシン
C-1

움직이기 시작
動き出し
C-4

바이크미러가
とらえた男
백 미러에 찍힌 남자
C-5

C-3

サイドも有
사이드도 있을 수 있음

移動ドア
후방
(트렁크) 문

C-6

BS
어떻게 지내고 있을까…
どうしてるだろう
C-7

C-6
C-3

田親
C-2
C-3
サン OUT

「......」
リョン소영
C-6

ガタ ガタ
덜컹 덜컹
C-4

C-2のドレスはさんで
컷 2의 동수를 끼고
C-5
ひも引い張る
줄을 당긴다

-12-

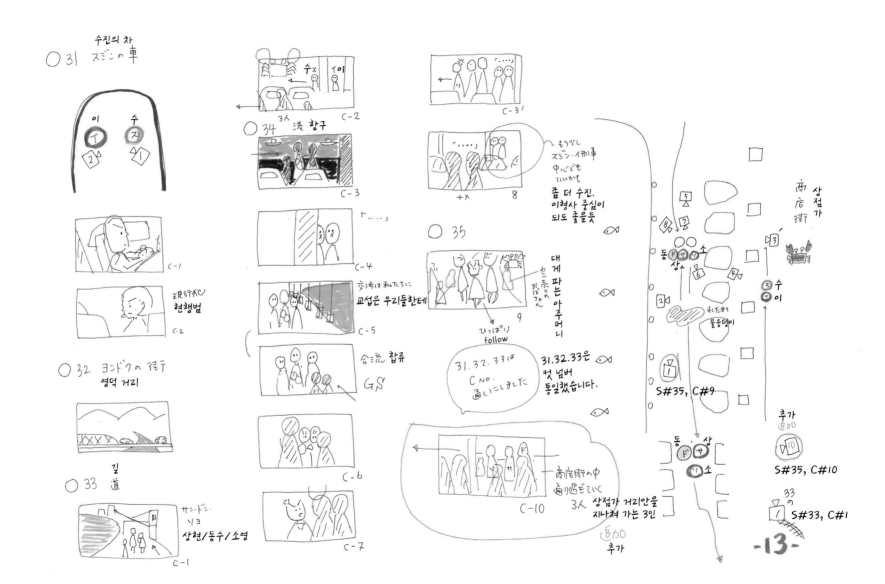

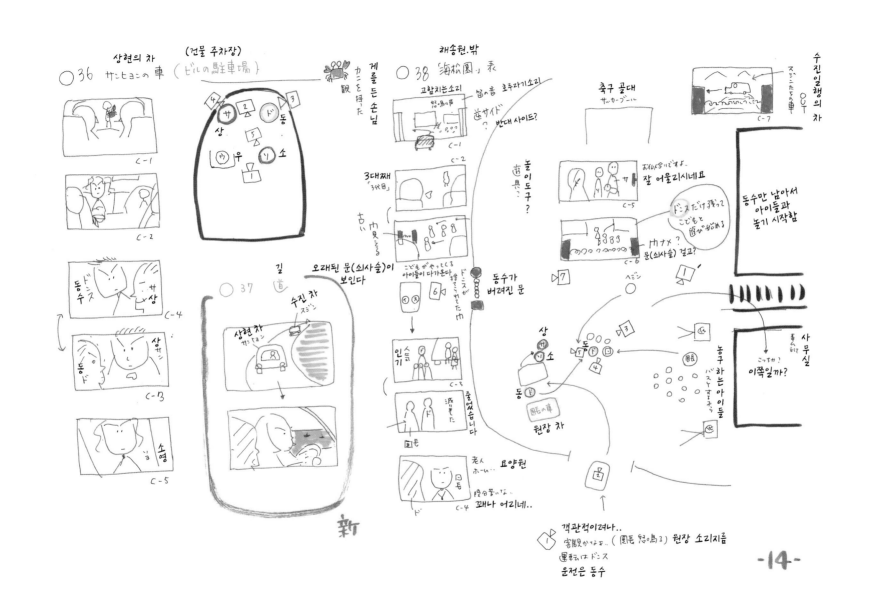

-14-

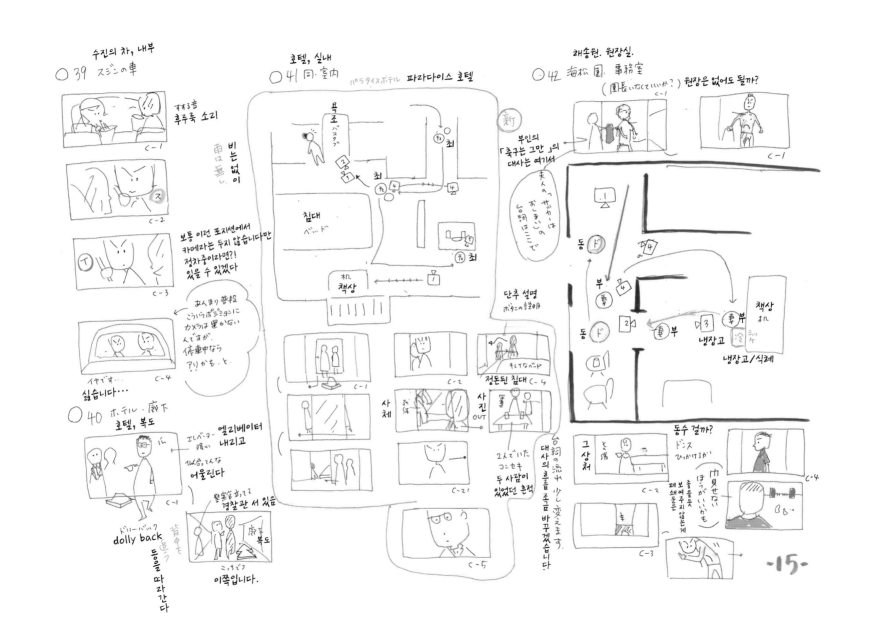

수진의 차, 내부
○39 スジンの車

스치는 音 후루룩 소리

雨は無し 비는 없이

보통 이런 포지션에서 카메라는 두지 않습니다만 정차중이라면?! 있을 수 있겠다

あんまり普段 こういうポジションに カメラは置かない んですが. 停車中なら アリかも.と

イヤです... 싫습니다...

○40 ホテル · 廊下 호텔, 복도

エレベーター 엘리베이터 降り 내리고 내리고

似合ってるな 어울린다

出て来てる 경찰관 서 있음

ドリーバック 背中を 追う dolly back 등을 따라 간다

이쪽입니다.
こっちです

호텔, 실내
○41 同 · 室内
パラダイスホテル 파라다이스 호텔

욕조 バスタブ

침대 ベッド

机 책상

정돈된 침대 C-4
きれいなベッド

사체 死体

사진 OUT

2人でいた ココセキ 두 사람이 있었던 흔적

단추 설명
ボタンの説明

台詞の流れ 少し変えます
대사의 흐름 조금 바꾸겠습니다

新

부인의 「축구는 그만」의 대사는 여기서

夫人の 「サッカーは おしまい」の セリフはここで

해송원. 원장실.
○42 海松園 · 事務室

(園長いなくていいか?) 원장은 없어도 될까?

동
부
부
동
냉장고
책상
냉장고/식혜

동수 걸까?
ドンス ひっかけるか?

그 상처
傷

見せない ほうがいいかも 좋을듯 보여주지 않는게 페쇄공포

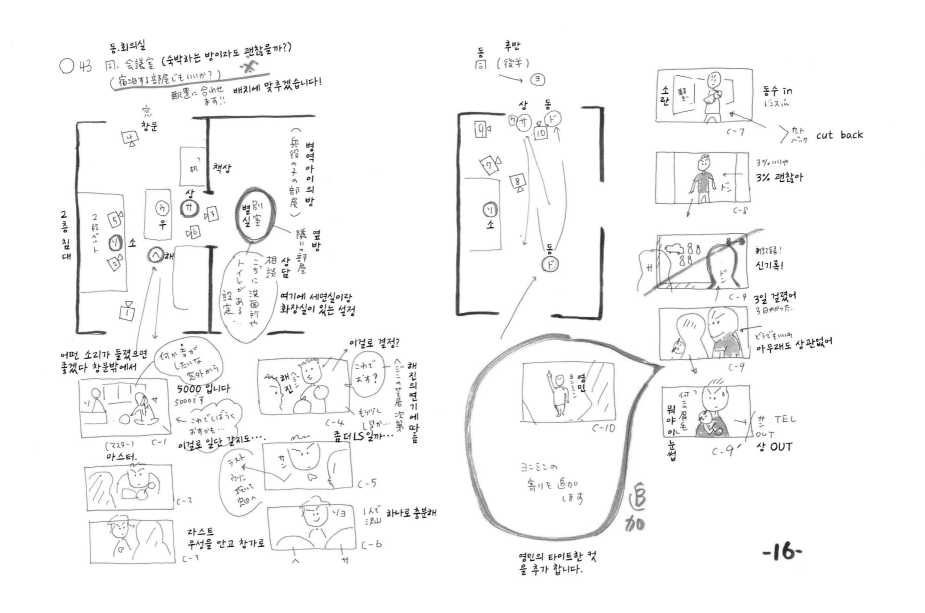

○43 동.회의실
      同. 会議室 (숙박하는 방이라도 괜찮을까?)
      (宿泊する部屋でもいいか？)
                      画面に合わせ
                      ます!!   배치에 맞추겠습니다!

窓 창문   4

机 책상

소   우   1 2   へ래

(兵役の子の部屋)
병역아이의 방 옆방
別室 별실 隣の部屋
      相談 상담
      こちに洗面所や
      トイレがある設定
      여기에 세면실이랑
      화장실이 있는 설정

2층침대 2段ベッド

어떤 소리가 들렸으면
좋겠다 창문밖에서
何か音がしたいな 窓外から

5000 입니다 5000です
これでぼうく おすかも…
이걸로 일단 갈지도…

마스터. C-2

라스트
우성을 안고 창가로 C-3

이걸로 결정? これでおす？
ここの芝居次第
해진   もう少しLSが
C-4 좀더 LS일까…
해진의 연기에 딸음

サ C-5

1시로   ヨ 1시로 3시   하나로 충분해
C-6

동 후반
同（後半） → ヨ

상 동
サ ド 10
소 ↑

동 ド

영민 C-10
ここのこの 寄りも追加
します

영민의 타이트한 컷
을 추가 합니다.
追加

소란   동수 in ダンスの
C-7 → カット バック cut back

3%이いいや
3% 괜찮아 C-8

新記録！ 신기록！
C-9 3일 걸렸어 3日かかった.

どうでもいいい
아무래도 상관없어 C-9

何？どんど
뭐야이 C-9 상 OUT
눈썹 TEL OUT

-16-

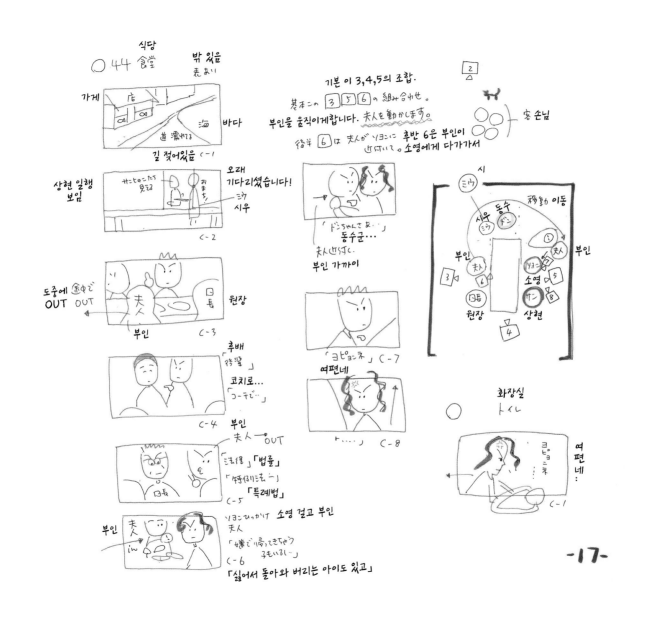

식당
○44 食堂　밖 있음
表おい

가게　店
　　　　海　바다
道 濡れてる
길 젖어있음 C-1

상현 일행 보임
ハスヒロたち 見える　おまち
오래 기다리셨습니다!
ミウ 시우
C-2

도중에 途中で OUT OUT
夫人
부인 원장 長
C-3

후배 後輩
코치로... コーチロ...
C-4 부인

こわ「법률」
特例ほう「특례법」
C-5

부인 夫人in
소영 걸고 부인 夫人 ソヨンひっかけ
「嫌で帰ってきちゃう子もいる...」
C-6
「싫어서 돌아와 버리는 아이도 있고」

기본이 3,4,5의 조합.
基本この 3 5 6 の 組み合せ.
부인을 움직이게합니다. 夫人を動かします。
後半 6 は 夫人が ソヨンに 후반 6은 부인이
近付いて。 소영에게 다가가서
2
客 손님

동수군... ドンちゃんさん
夫人近付く.
부인 가까이

「ヨピョンネ」 C-7
여편네
C-8 「......」

시 ミウ
移動 이동
시우 ミウ　동수 ドン
부인 夫人
부인 夫人
3 夫人
6 ソヨン
소영 5
원장 ドウ
상현
4

화장실 トイレ

ヨピョンネ... 여편네...
C-1

-17-

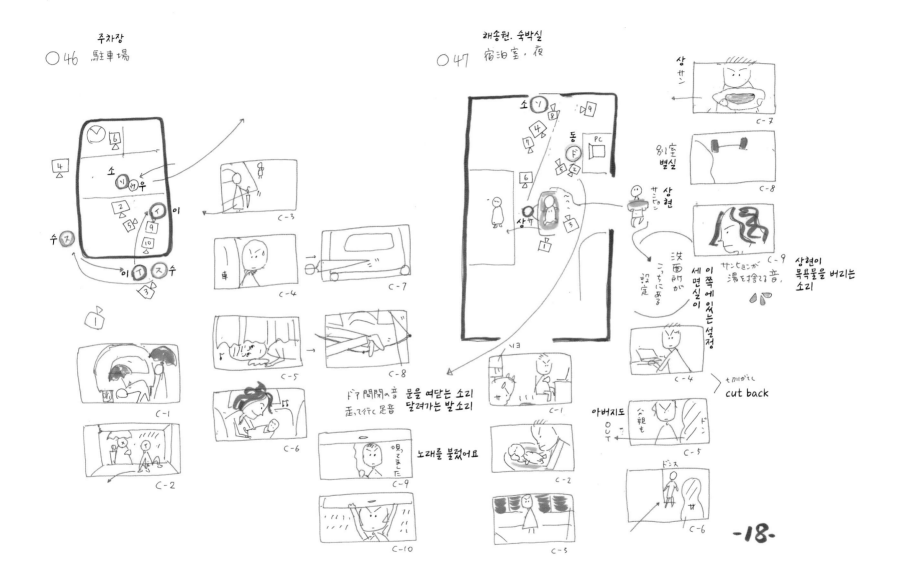

주차장
○46 駐車場

해송원. 숙박실
○47 宿泊室, 夜

C-3
C-4
C-7
C-5
C-8
C-6

C-1
C-2

ド7開開の音 문을 여닫는 소리
走ってI亍く足音 달려가는 발소리

노래를 불렀어요

C-9
C-10

상 サン
C-7
C-8

別室 別室

세면실이 이 쪽에 있는 설정
洗面所がこっちにある設定

サンヒョンが湯を捨てる音. C-9 상현이 목욕물을 버리는 소리

C-1
C-2
C-3

C-4
→ cut back

아버지도 OUT
父親も OUT
C-5
C-6

-18-

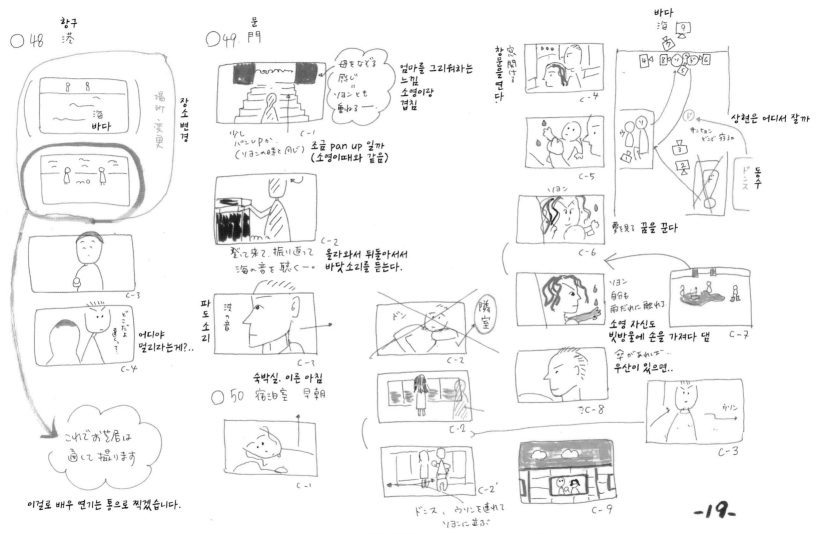

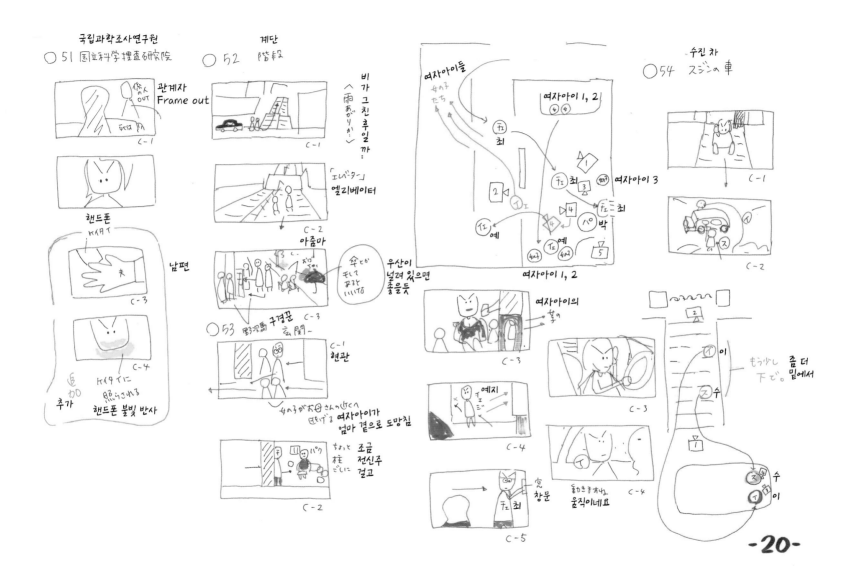

국립과학조사연구원
○51 国立科学捜査研究院

관계자
Frame out

倍人 OUT

돼면 IN

C-1

핸드폰
K사lT

夫

남편

C-3

核사lT に
照らされる

加

추가

핸드폰 불빛 반사

C-4

계단
○52 階段

C-1

비가 그친 후일까:
〈雨あがりか:〉

「エレベーター」
엘리베이터

C-2

아줌마

傘とか
モして
꼬3ㅑ
いい가8

우산이
넘겨 있으면
좋을듯

○53 物見가 구경꾼 C-3
흥분~

C-1
현관

女の子가お母さ의近くへ
にげる 여자아이가
엄마 곁으로 도망침

츠 파ク

松
様
ですに

ちょっと 조금
전신주
걸고

C-2

여자아이들
女の子
たち

여자아이 1, 2

츠
최

1

2

3

츠 최 박 여자아이 3

4 츠 최

イ예

イ예

女の子

女の子2

5

여자아이 1, 2

여자아이의
夢의

C-3

예지

C-4

窓
창문

츠 최

動きますね
움직이네요

C-5

수진 차
○54 スジンの車

C-1

C-2

2

イ이

もう少し 좀 더
下で。 밑에서

ス수

イ

C-3

C-4

ス 이 수
イ 이

-20-

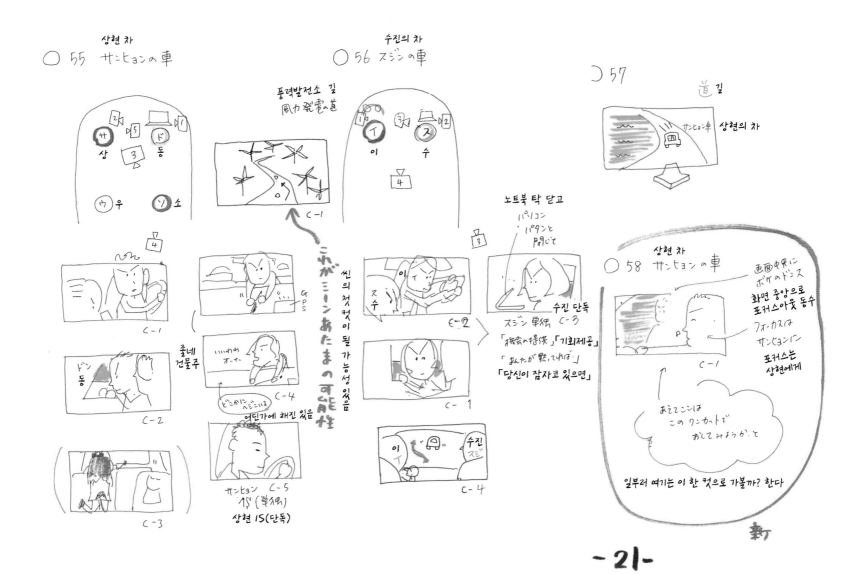

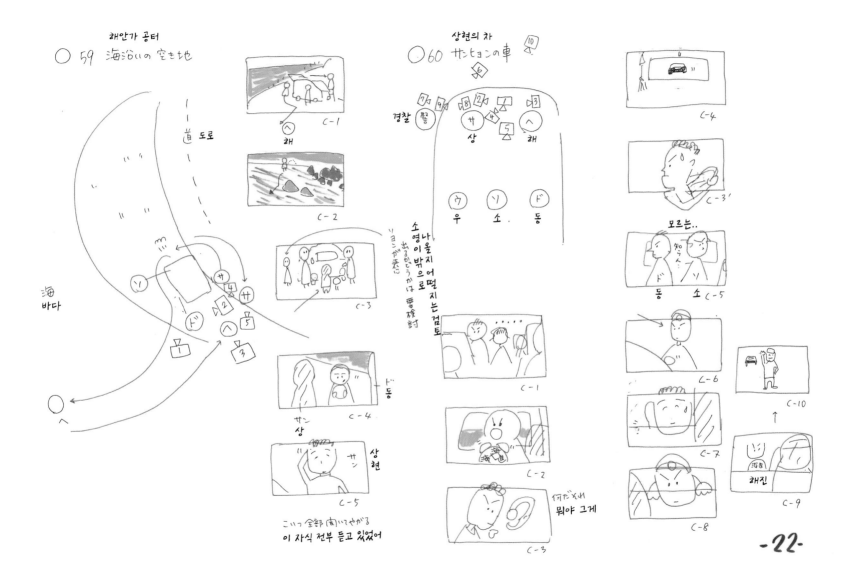

해안가 공터
○ 59 海沿いの空き地

道 도로

海
바다

○ 60 サンヒョンの車

경찰

상현의 차

이 자식 전부 듣고 있었어
こいつ 全部 聞いてやがる

소영이 밖으로 떨어지는 검토
나올지 어떻지는
出るかどうかは 要檢討

우 소 동

모르는..

뭐야 그게
何だよ それ

-22-

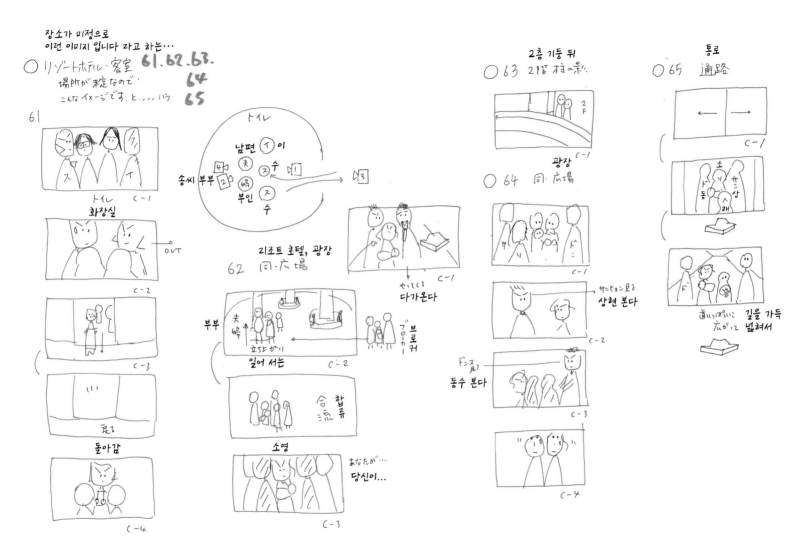

장소가 미정으로
이런 이미지 입니다 라고 하는···

○ リゾートホテル·客室 61.62.63.
64
65
場所が 未定なので
こんな イメージです. と···ハラ

61

화장실
トイレ C-1

돌아감

C-2

C-3

C-4

トイレ

송씨 부부
남편 夫 イ 이
ス 지 수 シ 口 1
婦 부인 ス 수

4
2

口3

리조트 호텔, 광장
62 同·広場

부부
夫 婦
일어 서는
효상가이
C-2

브로커
ブローカー

합류
合流

소영
C-3

당신이···
あなたが···

다가온다
やってくる
C-1

2층 기둥 뒤
○ 63 2階 柱の後ろ
2F
광장 C-1

○ 64 同·広場
C-1

상현 본다
サンヒョン見る
C-2

동수 본다
ドンス見る
C-3

C-4

통로
○ 65 通路
C-1

소 シ
동 ド 상
래 ン
ヘ 사

길을 가득
道いっぱいに
広がって 넓혀서

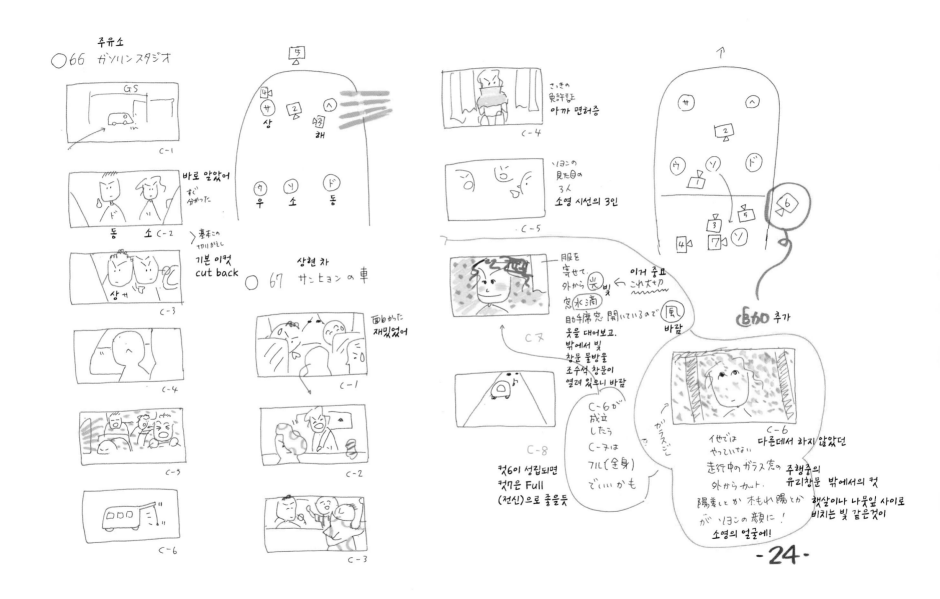

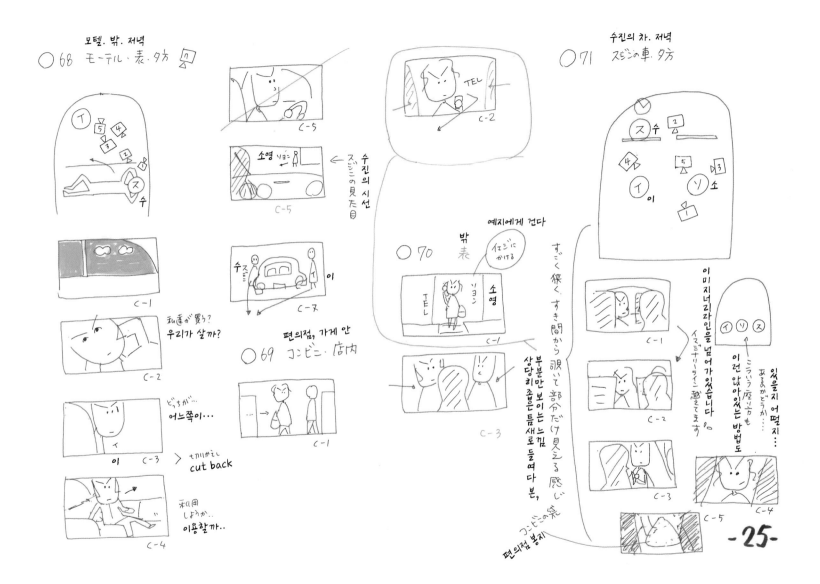

모텔. 밖. 저녁
○68 モーテル・表・夕方

C-5

소영 リヨン

← スジンの見た目
수진의 시선

C-5

C-1

私達が買う?
우리가 살까?

C-2

수 スジン イ

C-2

どっちが…
어느쪽이…

이 C-3

切りかえし
cut back

利用 しようか‥
이용할까‥

C-4

편의점, 가게 안
○69 コンビニ・店内

… →

C-1

수진의 차. 저녁
○71 スジンの車・夕方

TEL

C-2

수 스

2

4 イ 5 ソ소 3
イ 1

예지에게 건다
○70 밖 表

イェジに かける

TEL リヨン 소영

C-1

C-3

すごく狭く、すき間から覗いて部分だけ見える感じ
部分のみ見えてる感じ
相当に狭い隙間から覗いて見る、
コンビニの袋
편의점 봉지

C-1

C-2

C-3

이미지너리라인을 넘어가 있었습니다
イマジナリーライン越えてます

イ リ ス

こういう座り方も攻めるかどうか…
이런 앉아있는 방법도

잊을지 어떨지…

C-4

C-5

-25-

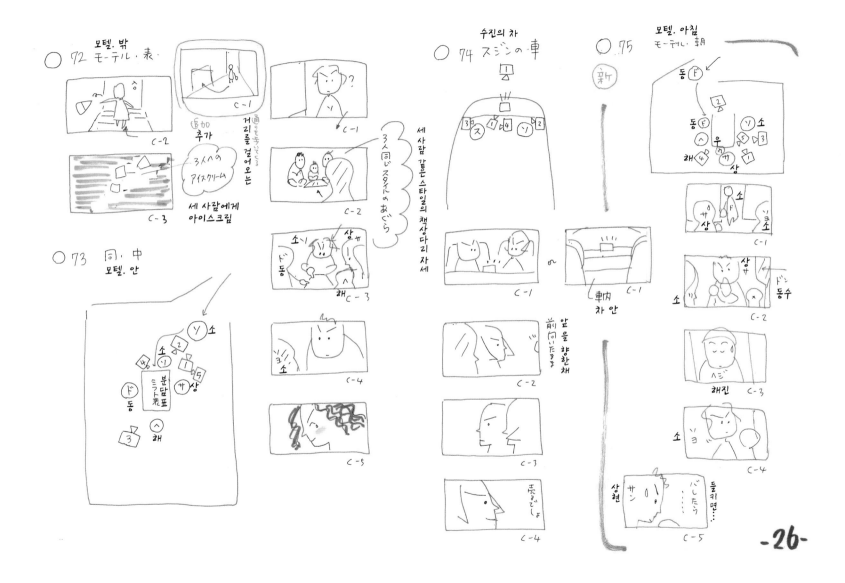

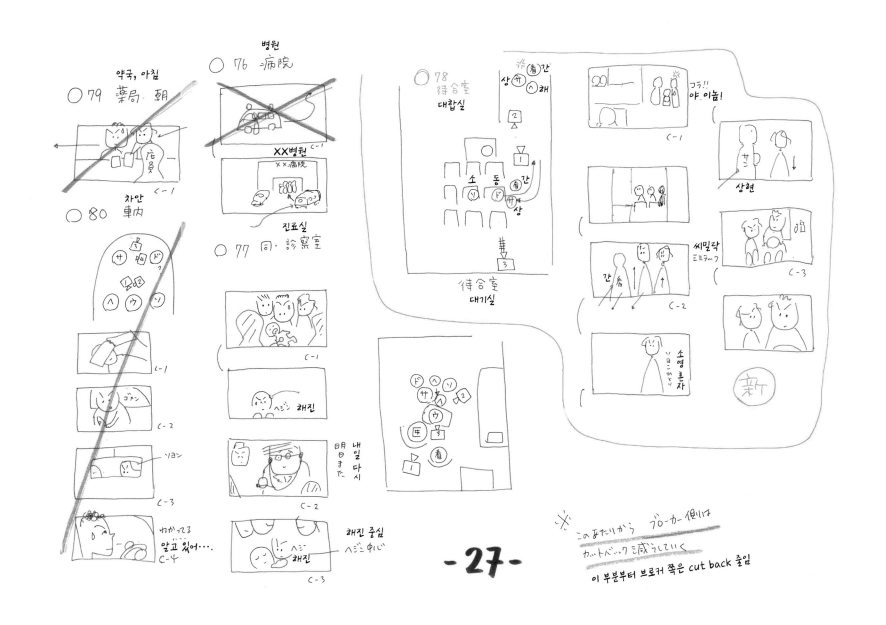

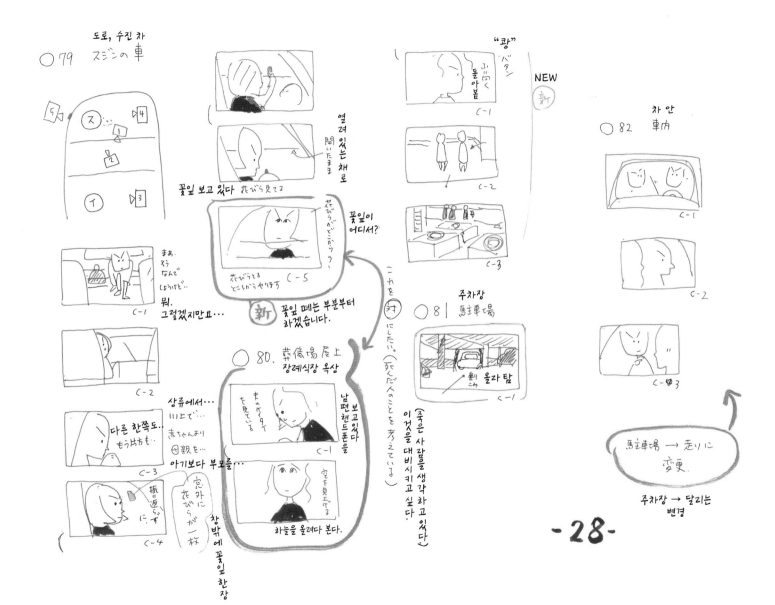

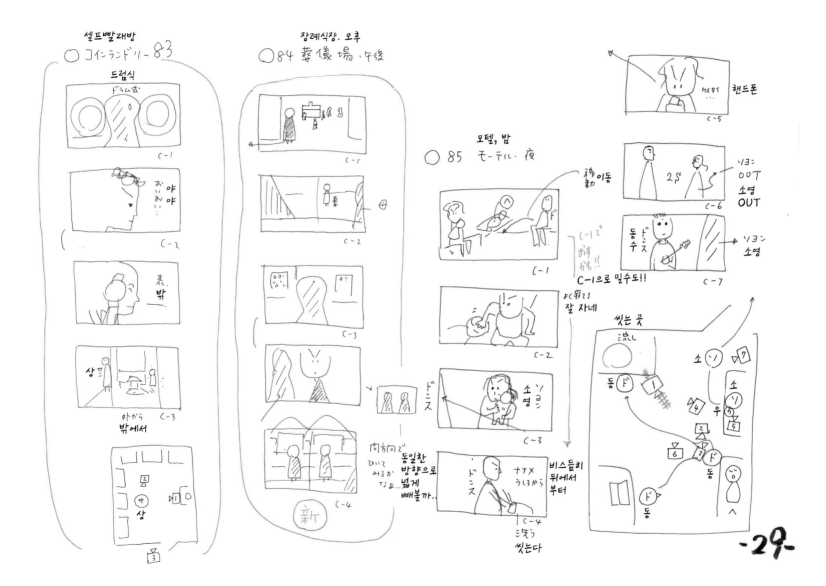

-29-

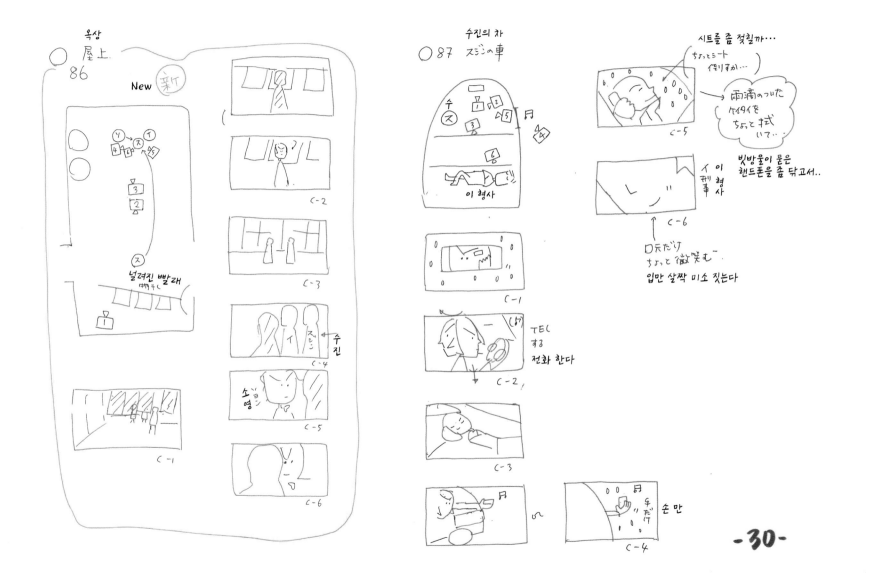

-30-

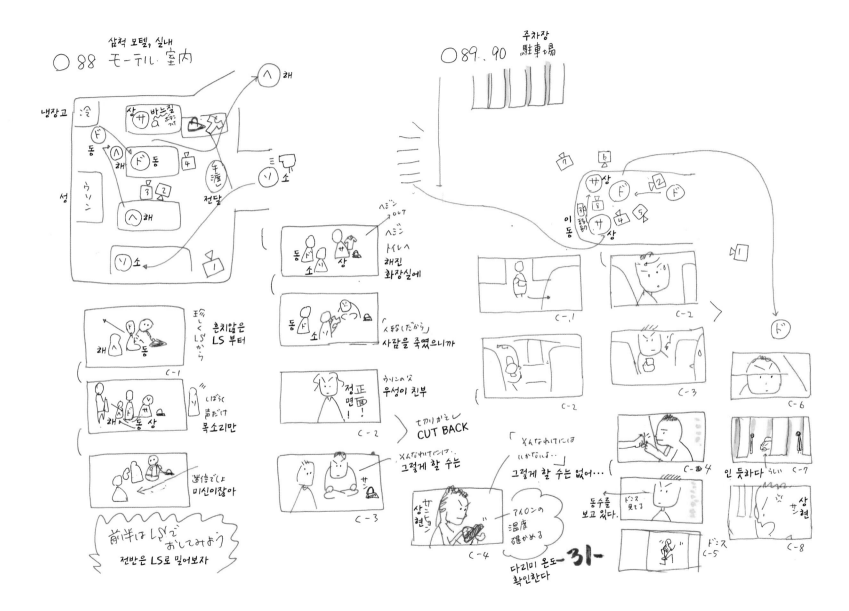

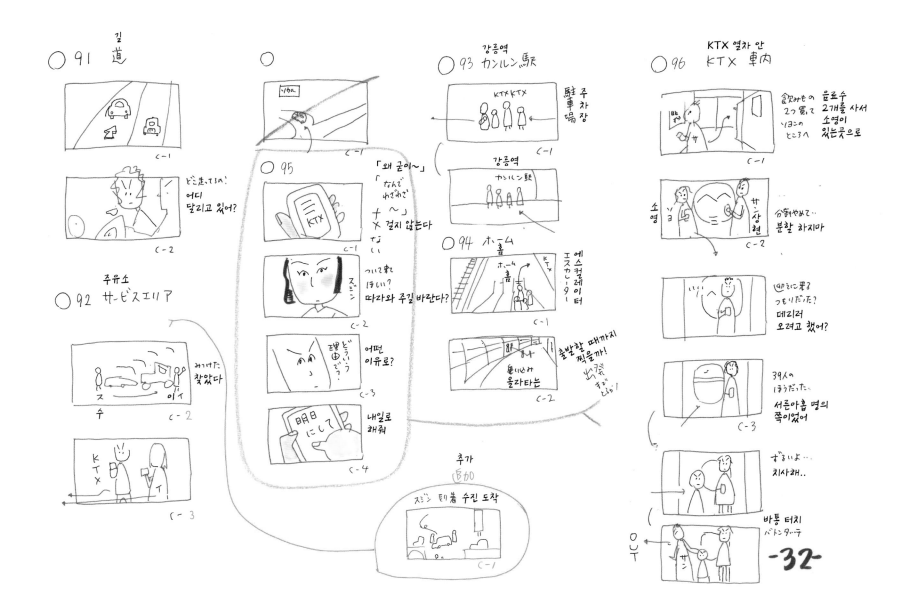

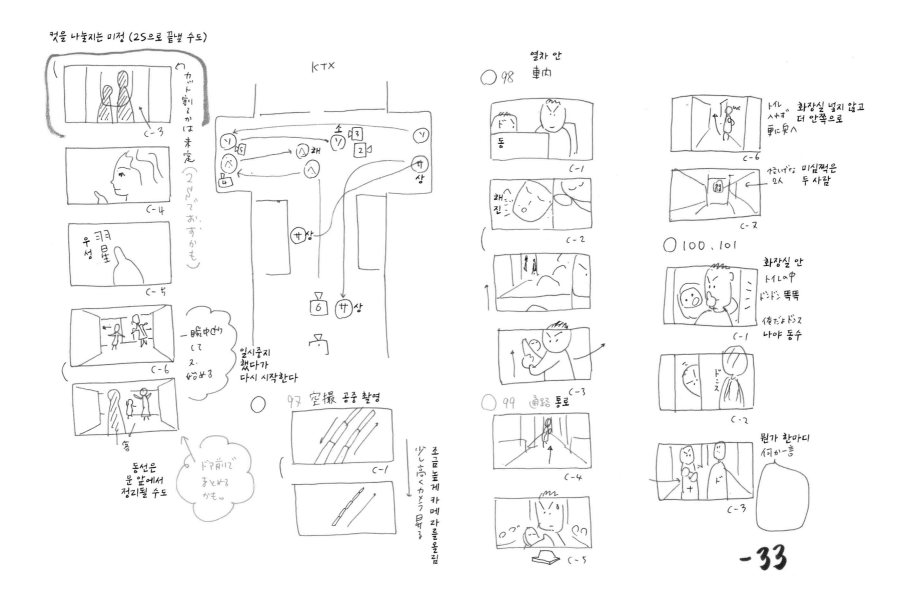

컷을 나눌지는 미정 (2S으로 끝낼 수도)

カット割るかは未定 (2Sでおわずかも)

C-3

C-4

우
성
星
C-5

C-6

동

동선은
문 앞에서
정리될 수도

ドマ前に
まとめる
かも…

一瞬中に
こて
ズ。
始める

일시중지
했다가
다시 시작한다

KTX

소 3
2

ソ
S

해

人

人

サ
상

サ
상

6 サ상

97 空撮 공중 촬영

C-1

조금 높게 카메라를 올림
少し高くカメラ見る

열차 안
車内

◯ 98 車内

동
ド。

C-1

해
진

C-2

C-3

99 通路 통로

C-4

C-5

トイレ
ハ가ず 화장실 넣지 않고
더 안쪽으로
更に奥へ
WC

C-6

ン부げな 미심쩍은
2人 두 사람

C-7

◯ 100, 101

화장실 안
トイレの中
ドン 똑똑

俺だよドス
나야 동수
C-1

ドス
C-2

뭔가 한마디
何か一言

C-3

-33

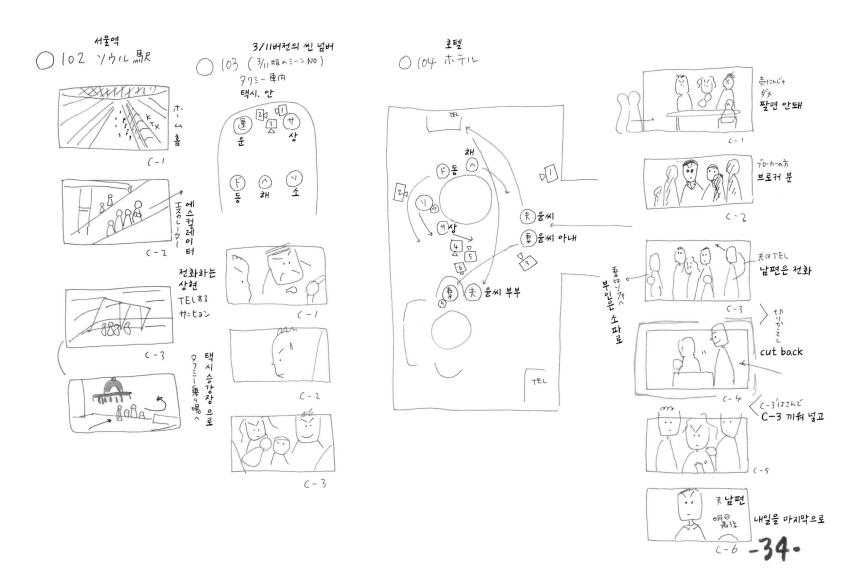

서울역
○ 102 ソウル駅

C-1

에스컬레이터
エスカレーター

C-2

전화하는 상현
TELする
サンヒョン

C-3

택시 승강장으로
タクシー乗り場へ

ホーム
KTX

3/11버전의 씬 넘버
○ 103 (3/11版のシーンNO)
タクシー車内
택시. 안

라미
유   상

동   해   소

C-1

C-2

C-3

호텔
○ 104 ホテル

TEL

동   해

이

상

윤씨
윤씨 아내

윤씨 부부

TEL

부인은 소파로

팔면 안돼

C-1

브로커 분

C-2

남편은 전화

C-3

切りとこ
cut back

C-4

C-3 끼워 넣고

C-5

남편

내일을 마지막으로

C-6 -34-

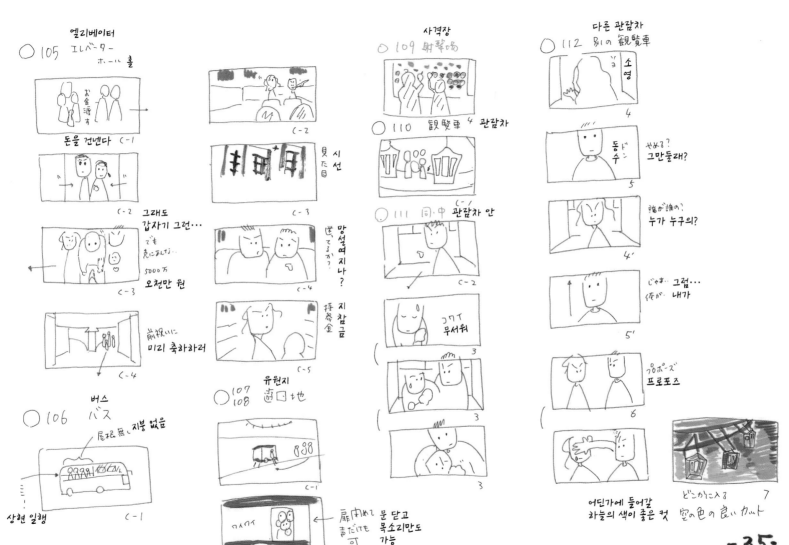

엘리베이터

○ 105 エレベーター
ホール 홀

お金渡す
돈을 건넨다 C-1

C-2 그래도
갑자기 그런…
でも
気にしない…
5000万
오천만 원
C-3

お祝いに
미리 축하하러
C-4

버스
○ 106 バス
屋根無 지붕 없음
상현 일행 C-1

見た目 시선
C-2

C-3

迷ってる?
망설여지나?
5000万?
C-4

持参金
지참금
C-5

유원지
○ 107 108 遊園地

C-1

扉閉めて 문 닫고
書だけも
可
목소리만도
가능
C-2

사격장
○ 109 射撃場

○ 110 観覧車 4 관람차
C-1

○ 111 同じ中 관람차 안
C-2

コワテ
무서워
3

3

3

다른 관람차
○ 112 別の観覧車
ヨ
소
영
4

동
수
ドンス
反する?
그만둘래?
5

誰が誰の?
누가 누구의?
4'

じゃあ それじゃ…
俺が 내가
5'

プロポーズ
프로포즈
6

7
어딘가에 들어갈
하늘의 색이 좋은 컷
どこかに入る 空の色の良いカット

-35-

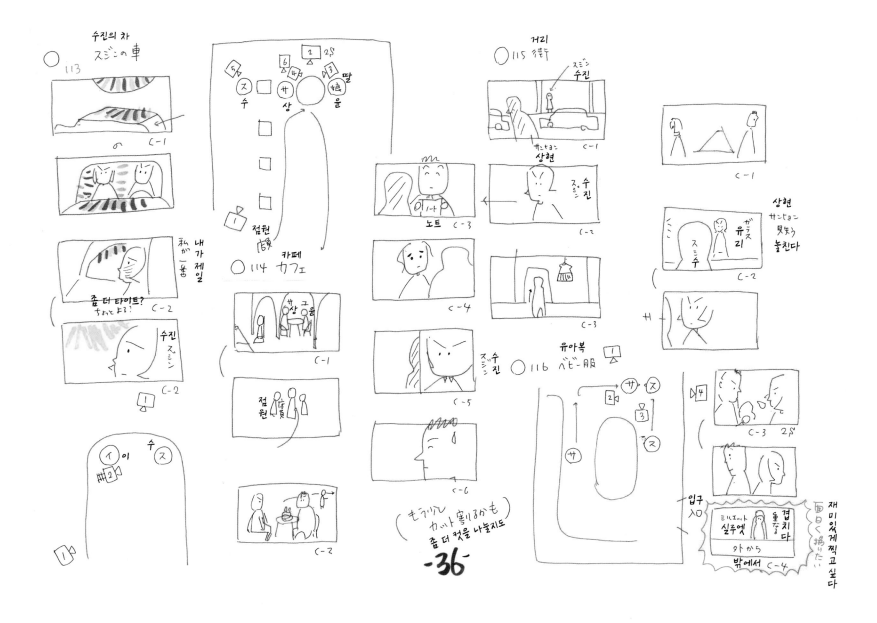

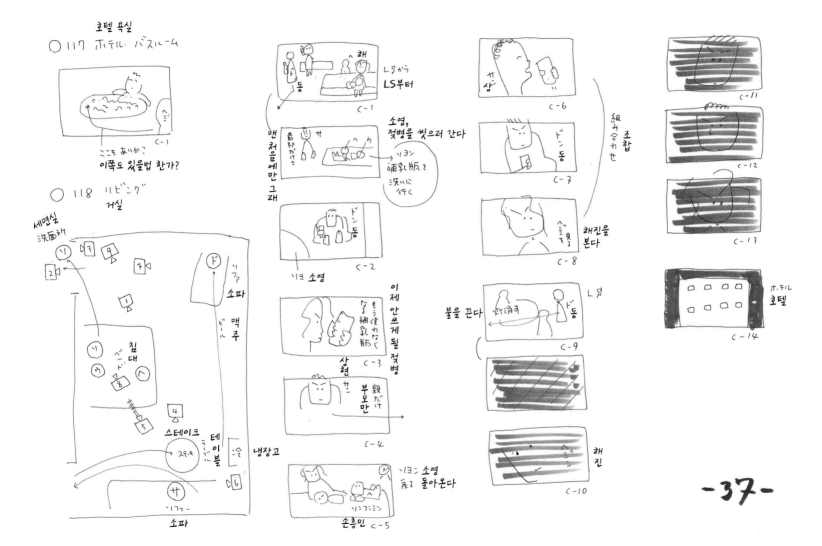

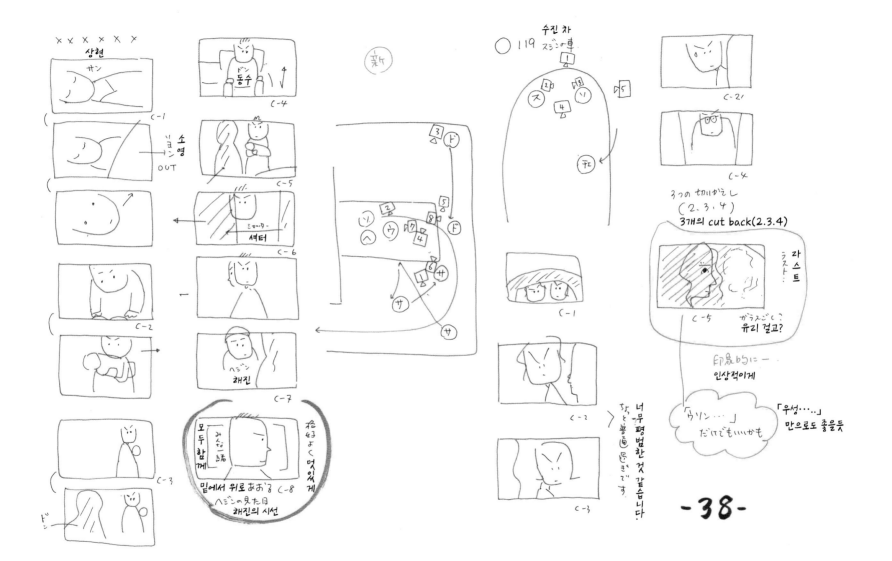

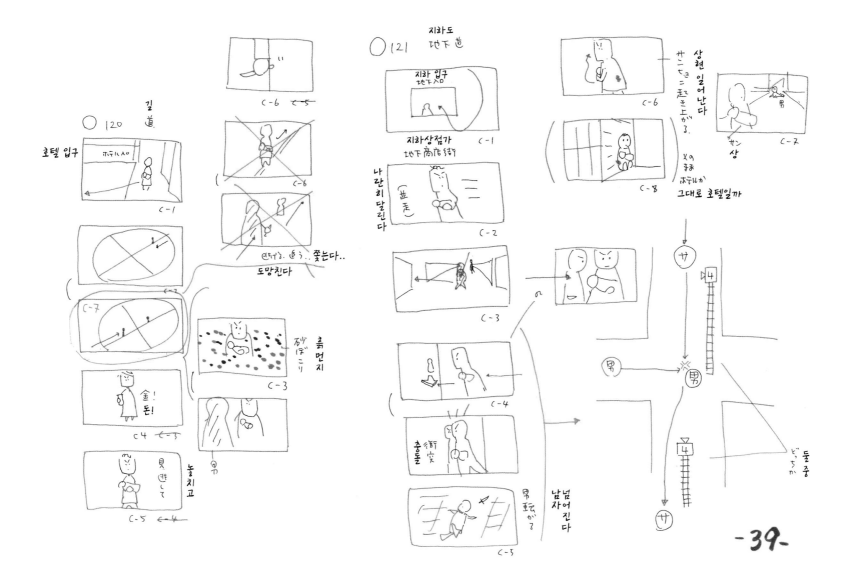

-39-

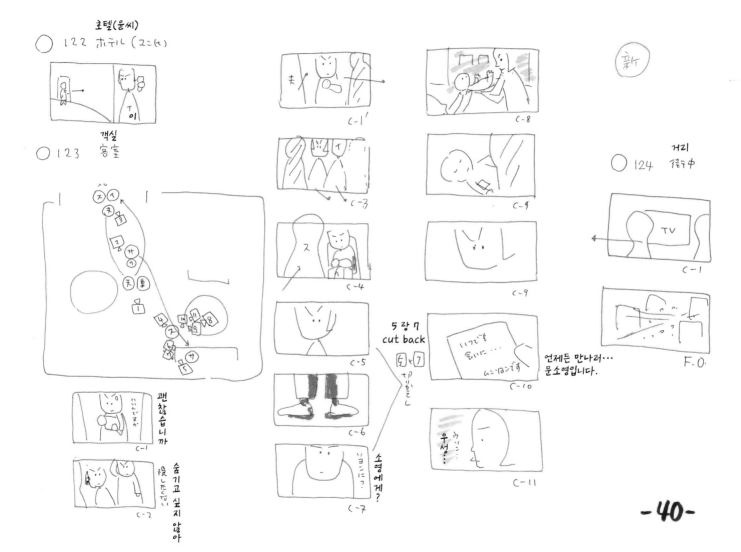

호텔(윤씨)
122 ホテル (ユンｼ)

객실
123 客室

괜찮습니까
C-1

숨기고 싶지 않아
C-2

C-1'

C-3

C-4

C-5

C-6

C-7

5 장 7
cut back

소영에게?

C-8

C-9

C-9

C-10
いつでも
会いに...
ムンﾖﾝﾖﾝ です

언제든 만나러...
문소영입니다.

C-11
우성...

거리
124 街中

C-1
TV

F.O.

新

-40-

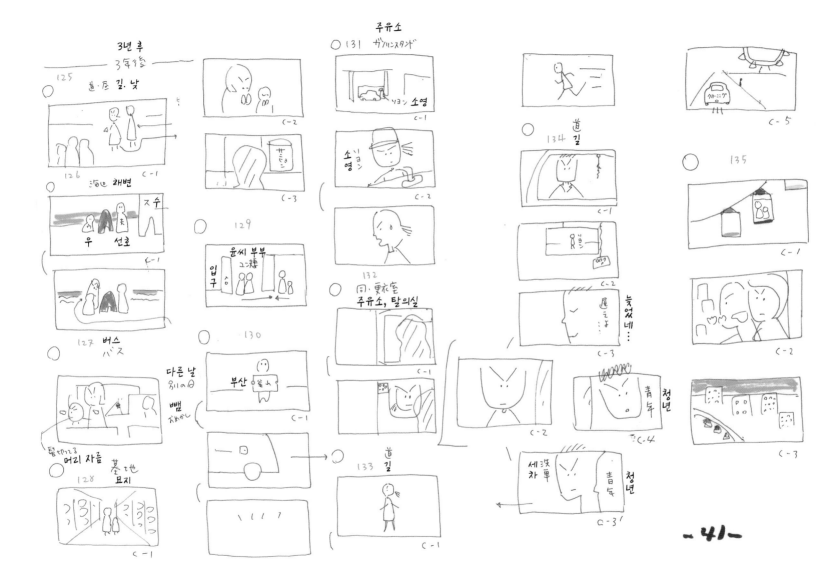

브로커 스토리보드북

ⓒ 2022 ZIP CINEMA, CJ ENM CORPORATION ALL RIGHTS RESERVED

초판 1쇄 발행 | 2022년 11월 18일

펴낸곳 | 플레인아카이브

저자 | 고레에다 히로카즈

펴낸이 | 백준오

편집 | 임유청

교정 | 이보람

지원 | 장지선

디자인 | 이유희 (PYGMALION)

도움주신 분 | 안근우

인쇄 | 다보아이앤씨

출판등록 | 2017년 3월 30일 제406-2017-000039호

주소 | (10881) 경기도 파주시 회동길 336-17, 302

전자우편 | cs@plainarchive.com

18,950원

ISBN 979-11-90738-18-7